Le bureau
des mots perdus

Pour Axel, Pierre et... Timéo
R.F.

© 2010 Éditions Nathan pour la première édtion
© 2012 Éditions NATHAN, SEJER, 25 avenue Pierre de Coubertin, 75013 Paris, France,
pour la présente édition
Loi n°49-956 du 16 juillet 1949 sur les publications destinées à la jeunesse,
modifiée par la loi n° 2011-525 du 17 mai 2011.
ISBN : 978-2-09-253660-5
N° éditeur : 10242967 - Dépôt légal : février 2012
Achevé d'imprimer en janvier 2018 par Pollina (85400 Luçon, Vendée, France) - 83561

ROLAND FUENTÈS

Le bureau
des mots perdus

Illustrations de Benjamin Adam

un

N'oublie pas le…

À BOUT DE SOUFFLE, les habits trempés par la pluie, Timéo pousse la lourde porte de la Maison des Choses Perdues. Dans le grand hall, un panneau indique l'emplacement d'innombrables bureaux. Haletant, le petit garçon le déchiffre :

– *Souvenirs perdus, Têtes perdues, Occasions perdues…* Ah ! *Mots perdus !* Escalier B, troisième étage, porte gauche.

Timéo saute sur ses pieds en inondant le
sol de gouttelettes, puis il fonce vers l'escalier, escalade quatre à quatre les marches
jusqu'au troisième étage.

À l'intérieur du bureau, plusieurs personnes
attendent déjà, assises sur des chaises, re-
gardant leurs ongles d'un air ennuyé.

– Bonjour, dit Timéo dans un souffle.

Aucune réponse. Tout le monde continue à regarder ses ongles.

« Ils n'ont pas dû m'entendre, pense-t-il. Quand je suis essoufflé, mes mots retombent au fond de ma gorge avant de pouvoir franchir mes lèvres. »

Alors, le petit garçon s'assied sur une chaise libre et il essaie de reprendre haleine.

De temps en temps, une voix enrouée appelle une nouvelle personne. Cette voix appartient à une dame minuscule, dont Timéo distingue juste le chignon derrière un bureau. Il aperçoit aussi un stylo, tenu par une toute petite main (celle de la dame au chignon), qui s'agite dans les airs comme un papillon. Timéo n'entend pas bien leurs propos. Il remarque juste que certaines personnes repartent, ravies, tenant entre leurs doigts le mot qui leur manquait. D'autres, les épaules basses, s'éloignent en traînant les pieds.

Son tour arrivé, Timéo s'approche du bureau.

– Bonjour, madame.

– Bonjour, jeune homme, répond la petite dame (elle est vraiment toute petite !) en rajustant ses lunettes et son chignon. Veuillez m'expliquer votre problème. Ne traînez pas, des gens attendent.

Timéo respire un grand coup, ouvre la bouche pour prendre la parole, mais il est interrompu par une quinte de toux.

– Excusez-moi, s'étrangle la toute petite dame. C'est ce fichu temps !

Timéo lui sourit très poliment, il ouvre de nouveau la bouche, puis articule du mieux qu'il peut :

– Eh bien voilà, j'ai perdu un mot.

– Quand, comment et où est-ce arrivé ? demande la dame en brandissant son stylo.

– Ce matin, j'étais dans mon lit, maman m'a dit quelque chose et puis, comme elle était pressée, elle est partie aussitôt. Malheureusement, j'ai bâillé à la fin de sa phrase et je n'ai pas entendu le dernier mot.

La dame écrit très vite sur son grand cahier :

« Matin… lit… dernier mot… maman. »

Posant son stylo, elle croise ses mains sous son menton et fixe Timéo d'un air concentré.

– Réfléchissez, jeune homme, c'est très important. Avez-vous une idée de l'endroit où se trouvait ce mot avant que vous ne le perdiez ?

– Oui madame. Il se trouvait au bout de la phrase : « N'oublie pas le… »

La dame note la phrase en lettres capitales.

« N'OUBLIE PAS LE… »

Ensuite elle réfléchit, replace ses lunettes et son chignon, puis elle ouvre un tiroir.

– Voici toujours quelques mots que nos chasseurs ont récupérés ce matin.

Le cœur battant, Timéo déchiffre les mots étalés sur la table : *parachute, marteau-piqueur, serviette.*

– Je crains, reprend la dame, qu'aucun de ces mots ne convienne à la phrase de votre maman.

Déçu, Timéo baisse la tête. Une goutte glisse sur ses cheveux, vient s'écraser sur ses semelles.

– Nous allons vous diriger vers un chasseur de mots, annonce la dame en décrochant un téléphone. Allô, Bérénice ? C'est Paloma. Dis-moi, avons-nous un chasseur disponible ?… C'est tout ?… Tant pis, nous ferons avec. Merci !

Puis, rajustant pour la troisième fois ses lunettes et son chignon, elle annonce à Timéo :

– Il nous reste un chasseur de jeux de mots. Ce n'est peut-être pas l'idéal dans votre cas, mais tous nos autres chasseurs de mots sont occupés. Vous le trouverez dans le hall, il vous attend.

deux

Le chasseur
de jeux de mots

Dᴀɴs ʟᴇ ʜᴀʟʟ de l'immeuble, en effet, un chasseur attend Timéo. C'est un curieux petit bonhomme, enveloppé dans une cape rouge et coiffé d'un large chapeau à plumes. Il tient dans une main une épuisette, dans l'autre un grand sac en tissu.

– Athanase, chasseur de jeux de mots, pour vous servir, dit-il, posant son épuisette afin de soulever son chapeau.

Il tend à Timéo une main gantée de cuir et se met au garde-à-vous en claquant des talons.

Timéo explique son problème. Le petit homme l'écoute attentivement, puis il inspire un grand coup, éternue trois fois, inspire encore un grand coup, et demande :

– Avant toute chose, jeune homme, pourriez-vous effectuer lentement un tour sur vous-même ?

Tandis que Timéo s'exécute, Athanase l'inspecte consciencieusement.

– Parfois, les mots qui n'atteignent pas nos oreilles restent accrochés à nos habits, ou à nos chaussures. Je voulais m'assurer que celui que nous cherchons ne se trouvait pas sur vous. Mais il n'y est pas, dit-il en secouant la tête.

Après quoi, le petit homme ouvre vigou-reusement la grande porte.

– Veuillez me montrer, je vous prie, le trajet exact que vous avez emprunté pour venir ici.

La pluie n'a pas cessé. Une mare profonde s'est creusée juste devant l'immeuble, où l'on voit surnager quelques mots perdus. À tout hasard, Athanase y jette un œil. À part un jeu de mots (*la spatule de la liberté*), qu'il repêche avec son épuisette et enfourne dans son sac, il ne trouve rien concernant le problème de Timéo.

Tous deux se mettent en route vers la maison de l'enfant, sous la pluie qui redouble. Timéo, les cheveux plus trempés qu'une salade, précède le chasseur, dont le chapeau dégouline de pluie. Athanase peste, en tapant dans les flaques avec sa canne :

– Impossible de repérer un traître mot par ce fichu temps !

trois

Un torrent de mots

« N'OUBLIE PAS LE… N'oublie pas le… »
Mais n'oublie pas le quoi ?

Les paroles tournent en boucle dans la tête de Timéo.

Sur le trajet, la rue ressemble à un torrent charriant des bouts de bois, des allumettes, des boîtes vides et des sacs plastique. Quelques mots perdus aussi : *coiffeuse… gargouiller… volumineux …*

Rien qui puisse compléter la phrase de maman.

Peu avant d'arriver dans la rue de Timéo, Athanase s'immobilise devant une haute maison blanche.

– Tu m'excuseras, mon garçon. J'ai repéré un splendide jeu de mots coincé, là-haut, contre la cheminée. Je reviens dans deux minutes !

D'une agilité peu commune, le petit homme escalade la gouttière, rampe sur les tuiles glissantes, et hop ! d'un coup d'épuisette, il repêche le jeu de mots.

– *Crème de larron*, commente Athanase en l'enfournant dans son sac. Une fois sec, il constituera un beau spécimen.

Après quoi, le petit homme redescend en glissant le long de la gouttière et saute dans une flaque, éclaboussant Timéo, qui de toute manière n'avait plus un poil de sec.

– Pardon, mon garçon. Dès que j'attrape

un jeu de mots, c'est… c'est plus fort que moi, il faut que je fasse des bêtises.

Arrivés devant la maison, Timéo et Athanase ont de plus en plus de difficultés à avancer. Le ciel leur déverse des seaux d'eau sur la figure, la pluie s'infiltre sous leurs vêtements, les faisant grelotter de la tête aux pieds.

– Va te réfugier à l'intérieur, dit le chasseur de jeux de mots. Moi, je fais le tour du jardin, pour ne rien négliger.

Timéo rentre chez lui, il secoue ses habits sur le paillasson, puis il allume un bon feu. Par les fenêtres, il aperçoit la silhouette du chasseur de jeux de mots, bravant courageusement l'averse, le sac sur l'épaule, la canne tendue vers l'avant comme une épée.

Les flammes crépitent bien fort lorsque Athanase franchit le seuil à son tour, ruisselant de pluie. Il dépose son sac et sa canne dans l'entrée, et installe son chapeau sur une chaise, devant la cheminée.

– Rien, dit-il en secouant la tête, projetant un déluge de gouttelettes sur le parquet.

Sa cape colle à son corps telle une feuille de chou. Timéo lui propose une place près de la cheminée et tous deux se réchauffent. Leurs habits, en séchant, dégagent une petite fumée qui monte jusqu'au plafond et y dessine des arabesques.

– Maintenant, lance Athanase en sautant sur ses pieds, inspectons minutieusement chaque pièce ! Il y a de fortes chances qu'on le coince ici. Un mot, ça ne peut quand même pas s'évaporer !

Son épuisette dans la main gauche, le sac grand ouvert dans l'autre, Athanase suit Timéo à travers la maison, l'œil aux aguets.

– Je ne sais pas si ça t'aidera, mon garçon, mais je vois ici une quantité considérable de jeux de mots.

– C'est papa… explique Timéo en levant les yeux au ciel. Il en invente en permanence. Au petit déjeuner, devant la télé, sous la douche, en dormant… Tellement qu'on ne peut pas tous les attraper. Alors ils tombent un peu partout. Servez-vous, ne vous gênez pas. On ne sait plus où les mettre.

Athanase ne se fait pas prier. L'épuisette brandie devant lui, il parcourt la maison de fond en comble. Dans le couloir, dans le salon, dans la chambre des parents – surtout dans la chambre des parents –, il repêche des quantités phénoménales de jeux de mots. À chaque prise, on entend ses exclamations enthousiastes :

– *Crème à rater,* excellent ! *Parc de triomphe,* fabuleux ! *Porte-bonnet,* fantastique !

Timéo suit le chasseur à une distance raisonnable, parce que, tout à sa joie, le petit homme gesticule dangereusement avec son épuisette.

Une fois la totalité des pièces visitée, Timéo et Athanase reviennent au salon. Le chasseur pose son sac, plein à craquer. Il pousse un soupir satisfait. Puis, voyant la triste mine de Timéo, il se souvient qu'il n'a pas trouvé le mot que cherche le petit garçon. Alors, il regarde au fond du sac, en remue le contenu. Les jeux de mots crissent un peu.

Athanase baisse la tête.

– Je suis désolé, mon garçon. Je n'ai trouvé que des jeux de mots. Pas de quoi compléter la phrase de ta maman.

– C'est pas grave, répond Timéo. Vous avez fait ce que vous pouviez.

Mais le chasseur se met à pleurer à gros sanglots.

– Ce que je pouvais… Bou-hou! Les autres me le disent, au boulot : «Toi, tu n'es bon qu'à trouver des jeux de mots!» Et aussi bien, je suis passé vingt fois à côté du mot que tu cherches sans le voir. Bou-hou!!!

Timéo, très embêté, propose à Athanase de s'asseoir sur le canapé. Il lui apporte une tasse de chocolat chaud.

– Tenez, buvez. Je suis sûr que dans votre domaine, vous êtes un as. Il y a quand même des tas de gens qui ont besoin de jeux de mots. Les journalistes, les humoristes, les institutrices, et les papas… Tenez, mon père, par exemple, s'il tombait en panne de jeux de mots, il serait très malheureux.

Athanase écoute, sagement. Gorgée après gorgée, il reprend des couleurs. Ses sanglots diminuent. Il demande, d'une petite voix enrouée :

– Mon garçon, tu pourrais me promettre une chose ?

– Oui, monsieur Athanase. Laquelle ?

– Si ton père tombe en panne d'inspiration, tu feras appel à moi ?

– Je vous le promets, répond Timéo en souriant le plus gentiment qu'il peut.

Alors le chasseur de jeux de mots se lève : il sèche ses larmes, replace son chapeau gon-

dolé, prend son sac, puis effectue un garde-
à-vous un peu humide, et s'en va.

Timéo demeure longtemps sur le pas de
la porte, jusqu'à ce que le petit homme,
courbé sous son fardeau, disparaisse dans
la pluie.

quatre

Et s'il était trop tard ?

« N'OUBLIE PAS LE… N'oublie pas le… »

« Qu'est-ce que je vais pouvoir faire ? » se demande Timéo, recroquevillé dans un coin de sa chambre, la tête entre ses mains.

Et si c'était urgent ? Et s'il était déjà trop tard ? Peut-être qu'à cause de ce mot perdu, Timéo a oublié quelque chose de très important. Peut-être qu'une catastrophe est en train de se préparer. Une explosion, quelque part dans la maison ? Et si la maison prenait feu ? Ou s'effondrait d'un seul coup ? Et s'il y avait une inondation ? À cause de lui !

Timéo va vérifier que le four est bien éteint. Il colle son oreille au frigo, pour écouter si son ronronnement est bien régulier. Il court dans la salle de bains, contrôle les robinets du lavabo, du bidet, de la baignoire.

Il revient dans sa chambre, l'arpente de long en large. N'oublie pas le *quoi* ?

Le *couvert* ? Non. Ce n'est pas à lui de le

mettre aujourd'hui, c'est à Léa, sa grande sœur. Elle a promis de s'en occuper en rentrant de chez sa copine Anna.

Le *plombier*? Non. Il vient cet après-midi. Maman sera là pour l'accueillir.

Le *petit frère*? Mais non! Timéo n'a pas de petit frère… Voilà qu'il se met à débloquer complètement.

Le *quoi*? Le *quoi*? Le *quoi*?

Timéo regarde par la fenêtre: la pluie continue à tout inonder, de grosses gouttes noient les géraniums, éclaboussent la vitre. Et soudain, juste derrière le rideau de pluie, il aperçoit maman, de retour du marché avec des commissions plein les bras.

Il se sent fatigué, fatigué. Maman va peut-être le gronder. Le punir en l'obligeant à se laver les dents six fois par jour, à nettoyer les chaussures de sa sœur quand elle revient du cheval, à faire la bise à la voisine qui a les joues piquantes…

Il s'assied sur son lit. Cette journée est vraiment la plus mauvaise de sa vie. Il ferme les yeux, s'allonge lourdement comme quand il rentre, le dimanche, d'une randonnée en famille. Et là, quelque chose glisse dans son cou, le chatouille. Il se rassied, observe de plus près. C'est un mot ! Un mot plutôt long, qui s'était glissé entre le mur et l'oreiller. *Parapluie.*

Timéo n'en croit pas ses yeux. Il tape très fort dans ses mains, fait une cabriole, et crie à pleins poumons :

– *N'oublie pas le parapluie !*

À cet instant, maman, qui vient d'ouvrir la porte de sa chambre, lui demande :

– N'oublie pas le *quoi* ?

TABLE DES MATIÈRES

Roland Fuentès

Roland Fuentès adore les mots. Les mots français, les mots étrangers, les mots bizarres et biscornus, qui allument de drôles d'images dans sa tête. Chaque fois qu'il en entend un nouveau, il essaie de le retenir. Seulement, avec tous ces mots qui se mélangent dans sa tête, il perd parfois les pédales, et il arrive qu'il lui en manque un au milieu d'une phrase. Ou à la fin…

Benjamin Adam

Quand j'avais à peu près l'âge de Timéo, j'ai passé une longue matinée sous la pluie, un jour où le prof n'était pas là. Comme lui, j'ai senti ma veste, mon pull, mon tee-shirt se saturer d'eau petit à petit, jusqu'à me frigorifier complètement. C'est à ça que je pensais en les dessinant, lui et Anathase, trempés comme des soupes, et ça m'a sûrement aidé à me mettre à leur place !

Aujourd'hui, après avoir grandi à Reims, et étudié à Amiens et Strasbourg, je vis à Nantes, une ville presque bretonne où il ne pleut jamais.

La reine du monde

Une série écrite par Hubert Ben Kemoun
Illustrée par Thomas Ehretsmann

« Ses mains se sont crispées, sa mâchoire a fait une étrange grimace. Elle se retenait pour ne pas crier.

– Je t'interdis de prétendre que je raconte n'importe quoi ! s'est-elle contentée de dire.

– C'est ça oui, et ta grand-mère fait du roller sur la lune, aussi !

Les autres ont ri et j'ai cru que Rebecca allait me gifler quand elle s'est levée. Mais avec un petit sourire de défi, elle a déclaré :

– Eh bien Samuel ! Je t'invite, là, tout de suite, chez moi ! Et tu verras ! »

Dorénavant, Samuel devra faire attention avant de contredire une fille.